Y Goeden Bisgedi Siocled

Cyhoeddwyd gyntaf yn Saesneg 2000
gan Orchard Books, 96 Leonard Street, London EC2A 4XD
dan y teitl *The Chocolate Biscuit Tree*.
Cyhoeddwyd yn Gymraeg 2001 gan Wasg y Dref Wen,
28 Ffordd yr Eglwys, Yr Eglwys Newydd,
Caerdydd CF14 2EA
Ffôn 02920 617860.

Argraffwyd yn Hong Kong.

Y Goeden Bisgedi Siocled

Thomas Taylor
Trosiad Hedd a Non ap Emlyn

DREF WEN

Yng nghanol y goedwig, mewn twll yn y ddaear,
mae mochyn daear o'r enw Lewis yn byw.

Bob bore, pan fydd y
moch daear eraill yn dal
i gysgu'n drwm, bydd
Lewis yn gwthio'i drwyn
allan o'r twll…

… ac yn sniffian yr awyr.
Roedd yr arogl y bore
'ma yn un eitha cyffrous.
"Waw!" gwaeddodd
Lewis. "Dw i'n gallu arogli
bisgeden siocled."

Saethodd allan o'i dwll ac aeth i chwilio amdani.

"Bore da, Lewis. Wyt ti eisiau rhai o'r hadau yma?" gofynnodd Llywelyn. "Mae gen i filoedd ohonyn nhw!"

"Dim diolch," atebodd Lewis. "Dw i'n gallu arogli rhywbeth llawer mwy blasus na hadau."

"Iw-hw, Lewis!" galwodd Glesni.
"Wyt ti eisiau rhannu'r aeron yma
gyda fi?"

"Dim diolch," atebodd Lewis. "Dw i'n gallu arogli rhywbeth llawer mwy blasus nag aeron."

Roedd e'n mynd mor gyflym ...

… wnaeth e ddim gweld Cadi'n codi gwreiddiau,
a syrthiodd bendramwnwgl i domen o ddail.

"Gan bwyll, Lewis bach!" dywedodd Cadi. "Beth am aros yma gyda fi i gael rhai o'r gwreiddiau blasus yma?"

"Cadwa dy wreiddiau!" atebodd Lewis. "Dw i'n gallu arogli rhywbeth llawer mwy blasus."

Cododd ar ei draed a rhedodd i ffwrdd.

Daeth at lecyn agored yn y
goedwig a gwelodd ar
unwaith fod **pobl** wedi bod
yno.

Rhedodd o gwmpas gan sniffian a snwffian a …

… gwelodd fisgeden siocled!
"Llawer gwell na hadau ac aeron a hen wreiddiau caled," meddai Lewis. Rhedodd yn ôl i ddangos y fisgeden i'r lleill.

"Edrychwch beth sy gen i – bisgeden siocled!" gwaeddodd Lewis.

"Siocled?" gofynnodd Llywelyn yn syn.

"Wyt ti'n mynd i rannu'r fisgeden?" gofynnodd Cadi.

"Ie, wir, gawn ni ddarn?" gofynnodd Glesni.

"Rhannu?" meddai Lewis. "FI piau hon. Fi ddaeth o hyd iddi, a fi sy'n mynd i'w bwyta hi!" a rhedodd i ffwrdd.

Roedd Lewis yn dechrau teimlo'n llwglyd.
Edrychodd ar y fisgeden. Roedd hi wedi cael ei
gwasgu ychydig, ond roedd hi'n dal i arogli'n
flasus.

"Ond os bydda i'n bwyta'r fisgeden yma, fydd dim ar ôl," meddai Lewis.

"Dydy hi ddim yn deg bod gan Cadi a Llywelyn a Glesni gymaint o hadau a phethau, ac mai dim ond un fisgeden fach sydd gen i. Trueni nad yw bisgedi'n tyfu ar goed."

"Beth am blannu'r fisgeden? Efallai y bydd hi'n tyfu'n goeden bisgedi siocled. Bydd digon gen i wedyn!"

Felly dyma fe'n
gwneud twll ...

yn rhoi'r fisgeden
i mewn ...

ac yna'n cau'r twll.

Roedd e'n gwybod bod coed yn cymryd amser i dyfu, felly caeodd ei lygaid a chyfrif i ddeg.

Yna aeth yn ôl i weld.
Dim coeden eto.
"Efallai bydd yn rhaid
i fi aros ychydig mwy,"
meddai.

Ar ôl tipyn, roedd Lewis ar
lwgu. "Ond mae un
fisgeden yn well na dim un
o gwbl," meddai. "Rhaid i fi
godi'r fisgeden yna."

Dechreuodd dwrio a thwrio …
ond doedd e ddim yn gallu
gweld y fisgeden yn unman.

Roedd hi wedi diflannu.

"Edrycha, dyna Lewis," dywedodd Llywelyn.

"Dydy e ddim yn edrych yn hapus iawn," dywedodd Cadi, "ac mae e wedi cael bisgeden siocled gyfan."

"A dydy e ddim wedi rhoi dim i ni," dywedodd Glesni.

"Oooo! Dw i wedi colli'r fisgeden," dywedodd Lewis. "Roeddwn i eisiau tyfu coeden er mwyn cael llawer o fisgedi siocled. Ond nawr does dim un gen i. A dw i ar lwgu."

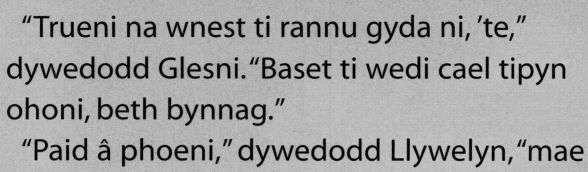

"Trueni na wnest ti rannu gyda ni, 'te," dywedodd Glesni. "Baset ti wedi cael tipyn ohoni, beth bynnag."

"Paid â phoeni," dywedodd Llywelyn, "mae gennyn ni ychydig o frecwast ar ôl ac mae croeso i ti gael hwnnw."

Bwytodd Lewis rai o'r aeron a'r hadau a dechreuodd deimlo'n hapusach.

"Does dim ots gen ti fwyta aeron a hadau, nac oes?" gofynnodd Cadi.

"Nac oes," atebodd Lewis â gwên.
"Yn enwedig gan fod siocled ar fy
mhawennau!"